시간 식사

시간 식사

발   행 | 2024년 7월 10일
저   자 | 박선목
펴낸이 | 한건희
펴낸곳 | 주식회사 부크크
출판사등록 | 2014.07.15.(제2014-16호)
주   소 | 서울특별시 금천구 가산디지털1로 119 SK트윈타워 A동 305호
전   화 | 1670-8316
이메일 | info@bookk.co.kr

ISBN | 979-11-410-9217-7

목차

술

전채 (Appetizer)

빵과 함께

밥

프롤로그

시간은 누구한테나 공평하면서도 공평하지 않다. 신처럼 말이다. 하
시간은 누구에게나 24시간이지만, 죽음이라는 개인의 시간 종착 점은 다 다르
때문에   여서 공~시다. 하지만
                   숨
불공평하다.   숨

시간이 누구에게나 공평하면서도 공평하지 않다면, 신도 공평하
공평하지 않다는 말이 된다. 왜냐하면 시간이라는 것은
단위이기 때문이다.

TASTE TIME

신이 나에게 준 시간과 공간을
너무 순간순간 맛보려고만 된
같다. 아무 것도 남기지 않고 아
이루지 못한채. 신이 나에게 준
                  손숨이 다르라고
시간과 공간을, 순간을 위해서 갉
갉는다. 결국 다음에 오는 시간
나은 붙잡없고   전보다 줄짧아지
전보다 작아진 공간 속에서
탐욕 없이 후회의 시간을 보내야
하는다.   ???

시간 식사

식사기도

사람들은 좋은 시계를 사려고 한다
중요한 것은 좋은 시간인데 말이다

넓은 코즈믹 라떼1)색 접시 위에
창조의 열과 진화의 양념으로 요리한
그 시간이 엉켜있다

접시 위에 낭비된 공간은
자유의지를 허락받았다는 것을 의미한다

주어진 칼, 숟가락, 포크, 젓가락
아무거나 이용하여 풀어내면 된다

다 못 풀어도 된다
더 엉켜도 된다
중요한 것은 맛있게 먹는 것이다

---

1) Cosmic Latte: 천문학자들이 찾은 우주의 평균 색깔이다.

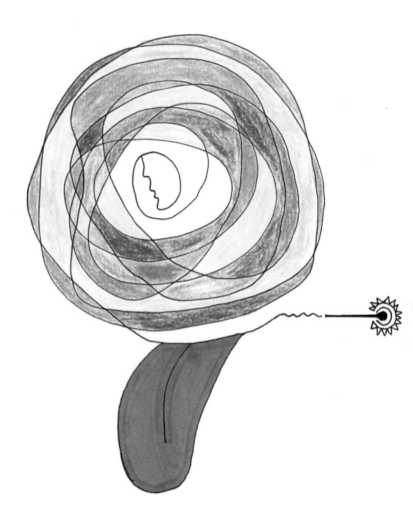

취식객 소개

-아지랑이 연구소

실험을 사모한다
숫자에 약해서
오래전에
계산을 떠났지만
발명가이고 과학자이다
흰 가운에 반한
박사이다

이 몸뚱이를 가지고
실험하고
가진 시간을 고스란히 털어서
착각의 세기에
크게 이바지하고 있다

평원 위에서
출발한 이곳은
어느 길에 가든
숟가락포크를 들고
편식하지 않는다

커피

피에노
(Pieno)

얕은 호수나
깊은 호수나
넓이는 비슷할 수도 있겠지만

아무것도 안 적은 백지나
너무 많이 적은 흑지나
읽을 수 없기는 마찬가지지만

깊은 호수에서 빛조차도 가본 적 없는
땅보다도 잔잔한 수심의 어둠을

흑지에서 아직도 생생하게 꿈틀거리는
흙보다도 진한 잉크의 향기를

　　　- 카페 피에노 (Caffè Pieno²⁾)

---

2) 가득 찬, 가득 채워진, 충만한, 풍부한. 이탈리아어

카페 에스프레소
(Caffè Espresso)

우울할 뻔했던 어린 시절은
철두철미한,
딱 맞아떨어지는 퍼즐 같은
운명의 구상으로
여기 미소가 흐르고
저기 웃음이 자라는
설탕 그득한 토양이 되었다

어른이 되어
급박하게 돌아가는 일상과
어깨를 짓누르는 압력이
쓰디씀을 내리지만
한울의 신비한 뜻이 그렇듯
설탕 그득한 토양에 내려
오히려 어린 시절을 다시 깨워 준다

너무 단 것을 맛보려면
그만한 쓴 것이 조화다

얼룩

태어나자마자 죽는
그래도 다시 태어나고 다시 죽는
파도는 거품에 불과하지만
바다 한 부분이기도 하고
바다 그 자체이기도 하다

파도 하나가 내는 소리는 없어지지만
바다는 파도소리를 끊임없이 내고 있다

언제나 바다에 가면
파도가 먼저 마중 나온다

뇌 주름 미로에서 나오지 못한 개념들
몰래 수첩에 적은 글귀들
멀리서 보면 별 의미 없는 행위들
표시를 꿈꾸는 얼룩들

             - 카페 마키야또 (Caffè Macchiato)

스트라파짜토
(Strapazzato[3])

무(無)에서 천둥과 요동과 폭발로
유(有)가 창조됐듯이
無에서 만물의 섭리와 부모의 사랑으로
태어났듯이
송두리째 쥐어짜고 폭풍이 휘몰아친 밤사이
그리고 그다음 날,

가장 먼저 나오는
진득한 전날의 잔상들로-
태초의
有를 위한 無
빛을 위한 암흑
오늘을 위한 어제
-당이 전 신경세포에
휘몰아친다

- 카페 스트라파짜토 (Caffè Strapazzato)

---

3) 스크램블, 학대당한, 지쳐버린, 보살핌을 못 받는, 돌보지 않은, 망쳐
   진. 이탈리아어

나 같은 죄인 살리신
(어메이징 그레이스 Amazing Grace)

어지러울 정도로 많은
갈래길4) 앞은
아무 빛도 없는
잠도 푹 못 자는
깜깜한 밤을 거쳐서

달콤한 잠자리를 버리고
산보다 무거운 육신을 이끌어
어제를 열었던 곳으로 돌아간다

커피기계 소음은
밤을 깨고 여명을 깨우는
아름다운 음률이다

88개의 건반 중에서
칠 수 있는 건반은
36개의 검은 건반뿐이지만
살아온 날들보다 오늘이 더 길다

      - 카페 에스프레소 설탕 빼고, 초콜릿과 함께, 36살에
(Caffè Espresso without sugar, with chocolate at age 36)

---

4) 갈림길

후드
(Hood)

아기천사는
구름 틈으로 이따금 보이는
구름 밑,
바쁘게 돌아가는 인간사회가 궁금했다

커피를 마셔도
저녁에 졸리는
나이가 됐을 때,
난층운5)이 물방울이 된 날
후드를 쓰고
비와 함께 몰래
어른들 빈틈을 비집고 파고들었다

어른들 중에 끼어있으니
다른 이들이 보기에는
후드 쓴 아이와 어른들이
분간이 안 됐지만,
아이는 자신이 어른이 아니라는 것을,
네모 안에 갇혀 사는 것은
모양에 맞지 않다는 것을,

---

5) 하층운 구름 중 하나. 회색이나 어두운 색을 띤다. 비, 눈 등을 내린
   다.

아직은 쓴맛은 쓰기만 하다는 것을
매일매일 자각했다

다시 구름 위로 올라가기에는
몸무게가 많이 늘어서
후드를 계속 쓰고
이 쓴맛을
구름이 거품이 될 때의 기대감을 섞어서
이 쓴맛을
캄캄함에 뿌려지는 은하수를 넣어서
이 쓴맛을
하얀 그리움들과 함께
감미롭고 고소하게 향락하고자 한다

       - 카페 카푸치노 (Caffè Cappuccino)

Green Algebraic Coffee
(대수학적 초록 커피)

혹성탈출 원숭이가
노아의 방주를 타고
무구한 100% 천연인
별나라에 가서
선악과 씨앗 중심의 격언을 뽑아서
완벽한 대수학(algebraic) 기계로 쪄서
뽑아낸
커피의 맛

낙서 일기

중력으로 나는 땅을 떠날 수 없지만
중력도 구름을 땅으로 당길 수 없다

땅에서는
구름 밑밖에 볼 수 없으니
구름 위는 비밀 낙서장이다

층적운6) 위에
피에트 몬드리안이 선을 그어주고
바실리 칸딘스키가 칸마다 회화를 그리고
구스타프 클림트가 달고 달게 유채(油彩7))한다

세상이 흑백 사막이 되고
사막의 건조함이 오아시스를 증발시키고
눈물까지 뺏어 가서
소리도 못 내서 울고
간절함이 구천(九天8))에 닿을 때
그 층적운이 흘러내린다
그 무엇도 해결되지는 않지만
오색찬란한 단비가 온다

- 카라멜 마끼아또 (Caramel Macchiato)

---

6) 하층운 구름 중 하나. 두껍거나 평평한 모양이다. 어두운 부분이 있
다.
7) 물감을 기름에 섞어서 그림을 그리는 것
8) 가장 높은 하늘

400원짜리 커피의 마법

파랑새는 저 멀리 아프리카로 가서
와카9)의 커피 원두를 구해 온다
코끼리가 그 원두를 으깨고
두르가10)가
은하(銀河), 요술, 행복, 커피 원두를 섞어서
커피를 만들고
자기의 팔을 일일이 이용하여 포장해 준다

그 파랑새, 와카, 코끼리, 두르가의
선물을 천천히 받아들여
피카소의 작품을 맛본다

---

9) Waaqa / Waq / Waaq: 오로모족 하늘 신이자 커피 신.
10) Durga: 힌두교 여신. 여전사의 모습으로 등장한다. 열 개의 팔을 가
지고 있다.

높은 오후

할 일을 모두, 가득
커피에 넣었던
여름밤부터
이른 일요일 아침까지
다 마시고 나면,
커피에서 나온
감사의 선율이
지중해 옆방들을
가득 채운다

카페 콘 판나
(Caffè con Panna)

제우스도 심심했는지
물체가 서로 당기는 힘인지
눈이 열반에 도달했는지 몰라도
적운[11]이 대지에 가부좌를 틀고 앉아
부드럽게 대지를 쓰다듬고 있다

대지는 쑥스러운지
간지러운지
천년의 꿈나라에서 깨어났는지 몰라도
흙내음 풍기며 용솟음치면서
가부좌 틀고 앉은 적운을 담쟁이덩굴처럼 감는다

하늘과 흙덩이의 소용돌이,
천상과 천하의 탱고

나무는 그 가운데서
뿌리를 조심스럽게 내려
한쪽 발끝만 따뜻한 지옥에 담근 채로
가지를 힘껏 뻗어
혀끝을 날름 내밀어
시원한 천국을 핥는다

---

11) '뭉게구름'이라고도 한다.

앉아서 떠나는 용과의 여행
안자서 떠나는 용과의 여행

카페인은 뇌를 두드리고
용의 연기는 뇌를 주무른다

디오니소스의 물은
심장을 만지고
마마 킬라12)의 마술은
심장에게 담력을 준다

누워버리기에는
일찍 일어난 미어캣들에게 미안하고
일어나기에는
몸속에서 일어나는 일들이 너무 많다
행성들의 충돌이자
육(肉)과 혼(魂)의 엇박자이다
이러든 저러든
좋든 나쁘든
재미있는 여정이 되기를

---

12) Mama Quilla. Mama: 어머니, Quilla: 달. 잉카 신화에서 나오는 달
　　의 여신.

차

아이스 레몬 티

이 레몬은 분명히
태양에서 출생하여
얼음바다를 타고
떠돌아다니다가
헤밍웨이의 낚싯줄에 걸려
이 컵 안으로 떨어졌다

이 얼음은 분명히
북극곰의 사탕이었는데
원양어선에 잡혀
콜라에 곤두박질칠뻔하다가
그 자태가 워낙 고귀하여
자신을 희생하여
레몬을 빛나게 해주고 있다

레몬은 그 대가로
자신의 이름 앞에
'아이스'를 넣어 준 것이다

나무 밑

마나사로바 호수
정중앙에서 보리수나무가 자랐다
어떻게 그렇게 됐는지는
카일라스산만이 알고 있다
나무는 샴발라13)로 가는 길을 안내한다
과학으로도 모른다
린첸상포14)는 오랜 연구 끝에
길을 찾았지만
그도 이 천지가 뿜어내는
단 한 가지 메시지를 이해하기에는
적합한 손님이 아니었는지도 모른다

     - 흑차

---

13) 히말라야 오지에 있는 현인들의 약속의 땅. 현자들의 성스러운 나라.
14) 티베트 승려

술

두 번째 판
(Second Edition)

신이 있다면
그가 창조자라면,
지금쯤,
자기 자식들을 보며
술을 엄청나게 들이마시고 있을 것이다

잠결에 만난 물리학

해거름에
노란 잠수함에
술을 가뜩 채우고 출항했지
여러 곳을 갔지만, 지도에 나온 곳은 한 곳도 없었지
그래서 어디를 갔는지도 모르지
아무 생물도 살 수 없는 깊은 바다로 가고
아무 생물도 살 수 없는 높은 하늘로 가고
너무나 여러 곳을 가서
사진 찍을 시간조차 없었지
깊은 바다에서 자다가
높은 하늘에서 잤는데
결국 일어난 곳은 좁은 침상 위에서 단새우잠이었지
압력이나, 중력이나, 가속도나 알고 있던 물리학은
강하게 스치고 지나갔지

수없이 많았던 해바라기와 한 흑백 엉겅퀴

신이 주사위를 잘못 던졌다
시간과 다른 시간이 잘못 섞였다

반 고흐의 그림들은 폭우 오는 장례식장을 다녀온 뒤로
색상을 잃어버렸다

햇살은 뜨겁고,
창해(滄海15)를 건너온 민담이 듣고 싶은 하오였는데,
창해(蒼海16))가 색채가 없다

나무는 화려하고
나무에 핀 꽃은 더 화려한데
나무가 뿌리내린 터가 숨도 쉬지 않는다

그릇 위에 과일을 그리던 화가는
그릇 위에 해골을 그리고만 있다

"수없이 많은 어제와 하나뿐인 오늘"

---

15) 넓고 큰 바다
16) 푸른 바다

어제와 오늘

어제는 어금니를 꽉 물어서
오늘은 이가 아프지

어제는 침대 위에서 너무 많은 곳을 가서
오늘은 삭신이 쑤시지

어제는 추워지기 직전의 사하라에서 다른 B612를 찾아 걷고 또
걸어서
오늘은 돌아오느라고 뛰고 또 뛰어야 하지

바닷바람 이야기

대해를 넘어온 이야기들에
눈이 반쯤 감긴다

대항해시대에 흘린 노랫가락과
해적들이 회개하며 부르던 노래

반쯤 감긴 눈은 황혼이다
해도 반만 눈을 뜨고 있다

사랑하는 이를 한 번 더 보기 위해서
몸을 파는 여자의 일기와
아버지를 모르는 소년의
기억

더 이상 감당할 수 없어서
눈은 완전히 감기고
밤중이 된다

술집 여자를 사랑하게 된 전사의 약속과
다리 하나를 잃은 선장의 늦은 저녁,
용기가 필요한 저녁

센 밤 - 샌 밤

붓질하는 태양이
피는 치자꽃[17]이
오르기 시작했을 때,

억지로 밤을 샌 게 아니라
너무 즐거워서, 샐만해서
끝내기가 싫어서, 셀만해서
너무 달았던 꿀밤

집 안에서 여러 곳을 갔지만
이동 거리는 적고
술도 많이 마셨지만
또 너무 과음은 안 했고

뇌간[18] 속에서 피어오르는 세로토닌과 도파민이
갑자기 밀려오는 피곤함과 고단함에 맞설 때
손은 부들부들 떨리고
다른 신체 부위 전부는 손만큼은 아니지만 미세한 떨림이 있고
어디 아픈 것도 아니지만 제대로 작동하지 않고
어젯밤에 강한 꿀밤을 맞았나보다
눈꺼풀은 천근만근이면서도 눈을 감으면
알록달록한 공상들로 잠은 못 들 거 같고

---

17) 꽃치자. 치자나무 꽃. Gardenia Flower.
18) 척수와 연결된 뇌 부분

데낄라 선셋
(Tequila Sunset)

아툼19)이 수평선을 만나는 곳에서
적란운20)이 유영(游泳21))하고 있다

낱낱이 부서졌고
앞으로도 부서질
그곳에 쓰러져
놓친 기회들과 쟁취한 기회들도
부서지는 것을 구경하고 있다
후회와 환희가 밀물에 밀려오지만
썰물에 쓸려가고, 부서진다
그것들마저도 구경한다

서쪽으로 서쪽으로
시선을 종이비행기에 태워서
서쪽으로 서쪽으로

석양 속에서
적란운은 서핑하고 있고
나는 노을 속으로 잠수한다

19) 고대 이집트 태양신인 라의 저녁 이름.
20) 수직으로 발달해서 탑 모양인 큰 구름이다.
21) 헤엄치며 놀다

어저께

너무 큰 꿈을 꿈결에 삼켰다

너무 큰 꿈이어서 현실 세계에서는
이룰 수 없는

너무 큰 꿈이어서 현실 세계에서는
도움이 전혀 안 되는

그 정도로 큰 꿈을 꿀꺽했다가
편도체와 해마가 어느 순간 폐쇄됐다

     - 필름 끊김

On Tap

  - 언제든지 이용할 수 있는 꼭지, 천장

아무것도 안 하면서 깨어있고 기분이 좋다
너무 좋아서 잠이 오지 않는다
이렇게 기분이 좋으면 잠들기 아까운데
잠이 오지 않아서 다행이다

이 기분과 상태가 절대로 영원할 리 없다는 것을 알기에
조금 더 잡아보려고 한다

무엇인가 하면 이 기분에 집중하지 못할까봐 눕는다
아무것도 하지 않고 그냥 누워있다
온전히 이 기분을 누리고 있다
기분이 너무 좋아서 누워있는데도 잠이 오지 않는다

천장만 멀뚱히 보고 있다

아무 무늬 없는 천장에서
무늬 있는 천장으로
무늬 있는 천장에서
무늬가 움직이는 천장으로
무늬가 움직이는 천장에서
무늬가 입체로 변하는 천장으로

천장에 어떤 액체가 고인다

9.8
06
65
m/s^2

천장은 마주 보는 연못
조약돌을 던져본다

조약돌이 연못에 닿는 찰나
　　연못 입장에서는 스토리가 솟아오른다
　　　올라오는 방울들이 후두엽22)을 살랑살랑 건드린다
　　나의 입장에서는 스토리가 떨어진다
　　　전신이 축하고 젖는다

　　- 생맥주

---

22) 시각을 담당하는 뇌 부분

2018. 8월 8일 이제 승부를 볼 때가 됐다
2019. 6월 6일 ↑ 이 이야기는 도대체
몇 번째 하는 것인가
2020. 10월 12일 아직도 하고 있다.

ADVENTURE TIME

FLYING HIGH

인생에서 가장 슬펐던 질문

이 구름들은 어디로 가는걸까

하지만 답을 알고 싶지도 않아

느슨한 구름의 물음

파타야 어느 섬 해변에 드러누워
오고 가는 구름들을 보며
바다맛, 하늘맛 칵테일을 홀짝이며
입술 근처에 불을 지펴
영혼을 맛보고 있는데
문득 그런 의문이 들었다
'신은 옳고 그름을 알까?'

이른 아침
(Early Morning)

막잔을 들이키려고 하는데,
경련까지 일어난다
바 주인도 이제
문 닫을 시간이라며
부축해준다
아침은 어디서 때울까?

캡슐 속의 칵테일

천사들이 그들의 깃털로
전두엽23)을 간질간질한다
의식과 무의식이 구분이 안 되고
눈을 뜬 자와 감은 자의 차이가 모호하다
구름 한 점 없는 천공(天空24))에
문양이 있고 유화가 있고 설화가 있다
투명색 구름이 뭉게뭉게
제도가 남김없이 뭉개진다

<hr />

23) 창조적·논리적 사고를 담당하는 뇌 부분
24) 끝없이 열린 하늘

<u>술 에필로그</u>

진짜 아침이 오면 어제 일을 후회하겠지.
하지만
후회하는 것에 대해선
후회 안 해.

전채
(Appetizer)

공명(共鳴): 달팽이 안에 바다

혀는 달팽이
두개골은 달팽이집

보고 싶기에
눈을 감고
혓바닥을 내밀면
달팽이집은 비고
바닷소리가
좋고 싫음을 휩쓸어 간다

유일한 행동, 먹는다
유일한 결론, 맛이 존재한다
맛이 존재하지 않는 것까지 맛있다

달팽이도 집을 버리면
더 빨라질 수 있다는 것을 알지만
이 짐에서 나오는 태초와 목적지의 멜로디를 버릴 수 없다

      - éscargots en coquille, beurre d'ail, fines herbes (달
팽이, 마늘 버터, 신선한 허브)

바다를 날다

향유고래싸움을 피해서
새우잠을 자던 새우는
피쿼드호의 고래그물에 걸려
산티아고가 굉장한 잉어를 낚는데
비참하게 사용당했지만,
새우가 은하수를 가로지르며 흘린 땀에
신이 감동하여
바닷물도 술로 바꿔주시고
모세가 홍해를 가를 때
신은 새우가 있던 바다를 나르고
바다는 새우의 날개가 되어주고
새우는 인생 마지막 잠을 술고래 잠으로 잤다

        - 술 처마신 새우(취새우)

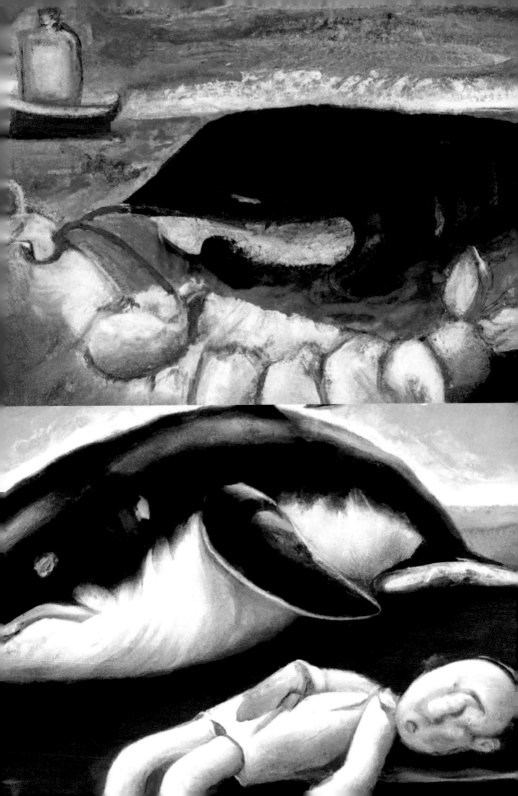

빵과 함께

세계관

- Enjoy the Ride

태양도 공전하고 있으니
천동설이 무조건 거짓이라고 할 수는 없다

가장 바닥부터
은하계까지 감싸는 뱀은
매력적인 제안을 하고
거기에 말려들어서
서사시는 첫 행부터 끝을 향해가지만

우주를 끝없이 헤엄치는,
등이 로메인 들판인, 거북이가
모든 신들을 살게 함으로
멸망은 우선 모면하고
세계는 다양성과
멸망보다 더한 혼돈으로 꼬였다

로메인 들판에는
앞뒤가 똑같은 코끼리,
시간이 지나면 단맛이라는 것을 아는 코끼리,
일하는 소,
탐욕의 돼지가
시간이 만든 고된 결실의 구체적인 고체화를
접착제로 사용하여

혼돈에서 나름 질서를 만들고
원칙으로 언덕을 떠받들고 있다

너도 당첨됐고
나도 당첨됐다
태양이라는 엔진으로 가는
지구라는 우주선에 당첨됐다

     - 햄버거: 로메인, 토마토, 양파, 페티, 베이컨, 치즈

대양 블루스
(Ocean Blues)

수천 명의 사람들이 에베레스트를 올랐고
소수의 사람들이 달에 갔지만
바다 가장 깊은 곳에 간 사람은 3명뿐이다

인간은 바다를 횡단했지만
정복하지는 못했다

하늘이 무거워지고
해양이 어두워지고
조개가 육지의 푸른색을 머금고
절세미인 헬레나의 눈물도
풍랑을 잠재우지 못할 때
무신론자는 없다
종교분쟁도 없다
끈끈한 동료애, 동지애
혹은 어쩔 수 없는 선택을 붙잡고 있을 뿐이다

정복하지 못했지만
뭍이 일벽만경을 담고 있고
문명의 서막에 만경창파를 담았다

지루한 육지에서 바다를 지긋이 보고 있노라면

눈물은 빛의 형상화가 되고
조개가 품은 육지의 푸른색은 진주가 되고
육지의 잠잠한 바람이 풍랑보다 무서울 때가 있다
파도에 쌓아 올린 것이 모조리 부스러지고
온몸이 공포에 멍들고
이가 부러질 만큼 꽉 물고
포세이돈과 몸싸움하는 것이 그리울 때가 있다

    - 클램 차우더

행복 방법론

부끄러운
한때 가진 욕망들
쓸데없이
한때 가진 욕심들
욕망과 욕심도 문제였지만
그
한때가 너무 길었다
그냥
한때의 과거로 두기에는
부정해야 할 시간이 너무 길다

너무 길었기에
분해하고
분쇄하고
분석해서
자양분으로 만들어야 한다
숨기고 싶은 과거가 아니라
무용담으로 만들어야 한다

죄는 선택한 것이었고
벌은 피할 수 없었지만
다음도 선택에 달렸다

겉은 살짝 바삭하고-

통념적으로 문제없어서 쓸데없는 질문을 안 받으면서
속은 부드러운-
여전히 말랑한 뇌, 몽상가의 백일몽, 비밀스러운 쾌락과
함께
빵으로 잘 포장하여서 스스로에게 답례하고, 섭취하고, 소화해야
한다

- Carnitas torta (까르니따스 또르따)

밥

나시고랭
(Nasi Goreng[25])

시간을 프라이팬에 볶았다
뿌리와 열매가 하나가 된다

필수적인 생산 노동과
부가적인 여유로움 속에서
장난감 가게에서 누운 바나나 빙긋 지음과
거칠어진 뇌가 섞이고
희미하게 뜬 눈 사이로
햇빛과 그림자 그리고 스스로가

눈에 솔깃하게 들어온다

---

25) 인도네시아 볶음밥

곁들임 요리
(사이드 디쉬: Side Dish)

다문화
(Multicultural Kid)

나에게는 딱 맞는 자리에 태어나
치즈와 함께
누군가에게는 냄새이지만
누군가에게는 향기인
녹색물결을 타는
라파엘26)의 축복이 있었지만

인간의 설계에 놀아나
부질없는데 열정 쏟고
갇혀서 절어지고
여기저기서 볶아지며
깨달은 것이 있다면

강물을 타고 있는 물 한 방울이라는 것
앞으로만 굴러가는 이 거대한 굵은 선에 있는 한 점이라는 것
위대한 주요리 옆 곁들임 요리라는 것
강물은 이미 망망대해에 닿아있다는 것
내리막이지만, 만끽할만한 미끄럼틀이라는 것

    - 김치 까르니따스 프라이즈 (Kimchi Carnitas Fries)

---

26) 인간을 치유하는 상냥한 마음의 천사다. 토빗기(가톨릭과 정교회에
   서 인정하는 제2 경전)에서는 여행자의 수호천사로 그려진다.

감자튀김

한꺼번에 확 쏟다놓은 장작은
인간이 보기에는
아무 규칙 없이 뒤섞여 있고
자연이 보기에는
한 규칙에 따라서 쌓여있다

장작에 붙어 있는
밤하늘 별들이 순수함을
묘한 가능성의 향내로 만든다

장작이 타들어 가면서
우리 밖의 눈도 녹고
우리 안의 눈도 녹고
우리 사이에 있는 장작 쪽으로
몸이 기울어진다
잘 타고 있는 장작 덕분에
담소가 노르스름하게 익어가고 있다

그만큼 시간도 빠르게 타들어 간다
꺼져가는 불씨 살려보겠다고 부채질도 해보지만
시간이 녹는 속도를 따라갈 수 없다

거북이 집으로 간 새우

넥타이는 개목걸이
아포리아 꽉 찬 모니터 안,
어느새 거북목 그리고 새우등
고지는 멀고, 속도는 거북이
고래 싸움에 터지는 새우 등

해와 달이 어깨동무하는 시간을 넘어
해가 완전히 퇴근하고 나면
세간의 시계바늘은 첫새벽까지는 죽은 시계바늘

거북이 집으로 들어간다

욕조는 세상에서 가장 작고, 가장 큰 바다
가장 아끼는 별들을 이슬비로 떨어뜨리고
별들을 가지고 여러 가지 별자리를 만든다

이 드넓은 원해(遠海27))에서 떠 놀기에도 시간이 부족한데
뭘 그렇게 땅덩이로 올라가 진화하려고 힘을 쓰나

오늘도 세상은 새우의 꿈을 누르고, 밟고, 쳤다

두꺼운 이불 깔고
두꺼운 이불 덮고
오늘도 새우는 꿈을 다진다

    - 멘보샤

_____

27) 육지에서 멀리 떨어진 바다

94

디저트 & 군것질

형광 빛나는 뇌

한밤중에 머릿속에서
폭죽이 펑!
깨우침보다 현실적이었고
먹은 것도 없는데
초콜릿, 땅콩잼, 캐러멜 아이스크림이
입 안 한가득이었지
폭렬했지만, 보였지만
폭죽은 없었지
폭죽은 없었지만
팝콘화약 냄새가 방 안에 진동했지

야밤이어서, 뇌가 야광이어서
폭죽은 밤의 무지개
순간적으로 만유(萬有28))가 사라졌다가
돌아왔지
온 우주가 순간적으로 버퍼링이 걸렸지
크로노스29)도 만우절이 있어
대뇌30)가 조금 뒤틀렸지

제자리로 다시는 돌아오지 못하겠지

---

28) 우주에 존재하는 모든 것을 의미한다.
29) 시간의 신. (티탄인 크로노스와는 다른 신이다.)
30) 기억, 생각, 상상, 언어, 고등한 행동 등을 담당하는 뇌 부분.

대롱대롱 자살

솜사탕 물고 싶은 것을 참아가며 만들었던 구름
우물쭈물 거리다 놓치기는 놓쳤는데
내가 구름을 따라다닌 건지
구름이 나를 따라다닌 건지는 알 수 없지만
멀리, 너무 멀리 있어서 잘 보이지도 않지만
정수리 위쪽에 있어

이제 하층운31)에 밧줄을 묶고
밧줄에 목을 걸어
사람들은 '자살행위'라고 말하겠지

뭐,
'잘 살 행위'는 아니겠지
맞아,
이건 분명히 실수야
그래도 내 실수야

많은 것들과 안녕이겠지만
다시 '안녕'할 날
화창할 거야32)

---

31) 고도 2,000m 이하의 물방울로 구성된 구름이다. 다른 구름들보다
　　상대적으로 낮은 곳에 있다.
32) 그때, 술은 내가 살 수도 있어...

발이 땅바닥에
닿지도 않겠지만
닿지도 않으니깐
한 번은
딱 한 번이라도
대롱대롱 매달려 지평선까지
기면서, 걸으면서, 달리면서, 날면서

민트의 비밀
(Secrets of Mints)

둥둥 떠다니는 요거트 소파에서
휴식을 취하고 온 햇빛은
초원의 연주와 부딪혀
녹아내리는 생크림이 된다

아직 자기 가방은
여유가 있다며
되돌아가
늙은 시인의
책도 사주고
바닷가에 다다라
익숙한 포옹을 만난다

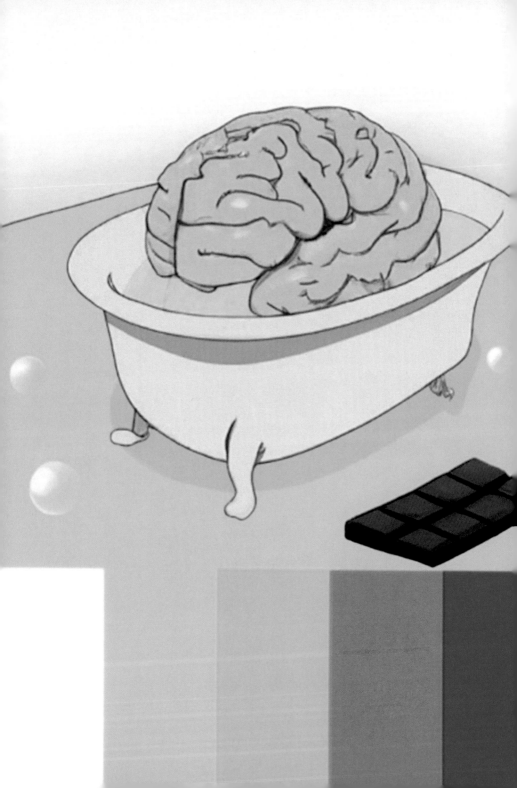

어린 날의 초콜릿

멕시코 작은 농장 주인의
기쁨과 슬픔을 입에 담았다
한입에 다 담지 못할 맛이다
맛이 목구멍을 타고 내려갔다가
       척추를 타고 올라간다
뇌섬엽[33]을 강하게 때린다
변연계[34]가 카카오 탕 안에서 목욕을 한다
강하게 스며든다

---

33) 미각을 담당하는 뇌 부분
34) '대뇌변연계'라고도 한다. 쾌락, 동기, 기쁨, 슬픔 등 감정적이 기능을
    담당하는 뇌 부분

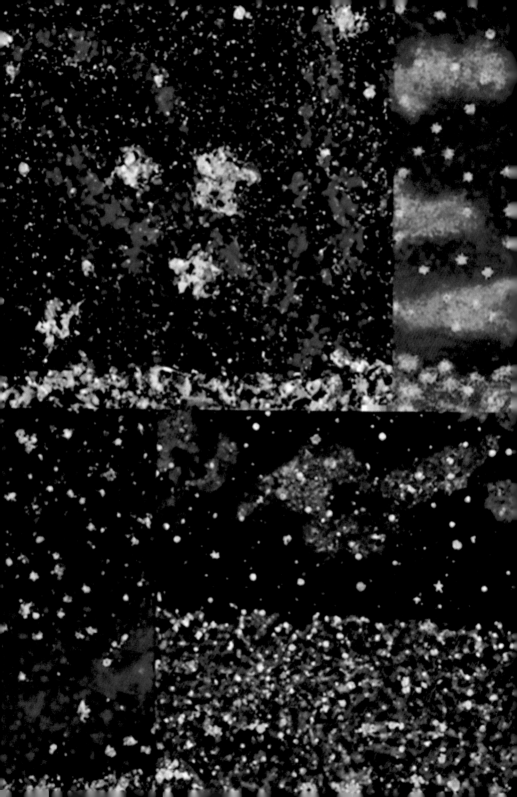

밤하늘 별사탕

별사탕은 별보다 오래됐을지도 모른다
맛있는 별사탕은 별이 되었다
빛을 내는 만큼 녹는다

그림쟁이의 상상이
종이에 그려지기까지가
인류 생존의 사투보다도 길다

맛이 멋을 이긴다
눈은 속여도
혀는 속이지 못한다

입속에 그득 별들을 문다

불꽃놀이처럼 터지는 감각을
두정엽35)이 따라오지 못한다

별사탕을 입에 넣고
　　　머리로 옮기고
　　　하늘에 붙인다

---

35) 촉각, 온도, 통각, 가려움, 쾌감 등 감각을 담당하는 뇌 부분

과일

창조론과 원숭이

브라흐마는 '공간'이라는 요람을 만들고
비슈누는 그 요람에 눕고
그 위에 자연을 깔고
그 위에 작은 신들을 심고
그 위에 도시를 깔고
그 위에 다시 자연을 깔고
그 위에 자본주의, 철학, 수학을 깔았는데
시바가 상식을 조금은 집어 버리고
그 위에 다시 깊은 도시와 얇은 자연을 깔았다
그리고 마지막으로 미세먼지와 매연을 휘핑크림으로 올렸다

그렇게 카오스와 코스모스가 겹쳐져 있다

사람은 똑똑한 원숭이
똑똑한 원숭이는 공간이 필요해서
원숭이 보금자리를 없앴지만
원숭이를 내쫓지는 않았다
원숭이는 나무 대신에 전깃줄을 타고 다니고
나름 살던 곳도 원래 자리에 있다

새도 갈 길 가고
원숭이도 갈 길 가고
염소도 갈 길 가고
돼지도 갈 길 가고
사람도 갈 길 가고
소도 갈 길 가고

낙타도 갈 길 가고
코끼리도 갈 길 가고
오토바이도 갈 길 가고
릭샤36)도 갈 길 가고
차도 갈 길 가고
시간도 갈 길 가고

새도, 원숭이도, 염소도, 돼지도, 소도, 낙타도, 코끼리도, 시간도
사람을 무서워하지 않고
사람도 그들을 무서워하지 않는다

모든 장소는 길이고
모든 길은 장소이다
모든 공간은 시간이고
모든 시간은 공간이다

모두 거대한 사원에서 살고 있다

너도 맞고
나도 맞고
그들도 맞고
우리도 맞다

사원의 다 다른 문양처럼
모두 다 다르다

우리도 틀리고
그들도 틀리고

---

36) 오토릭샤(Auto rickshaw) / 릭샤(Ricksahw) / 뚝뚝(Tuk Tuk) / 바자
이(Bajaj / Bajay): 세발 오토바이 택시.

나도 틀리고
너도 틀리다

모두 맞고
모두 틀리다

탄생과 죽음은
명확하지만
그 사이 모든 일은
신의 계획이자
나의 주사위 놀이

신의 주사위 놀이이자
나의 실행

어떻게든 돌아가든
돌아가든 어떻게든

갠지스강이 신이 머리 감고 난 물이어서 더러워도
번민 없이 흘러가고

공간이 아무리 채워져도
시간은 걸림 없이 흘러간다

강도, 공간도, 시간도
차 라디오에서 나오고 있는 샤스트리야 산게트[37]처럼 모두 흘러
간다

새도 흘러가고

---

37) Shastriya Sangeet: 인도 북부 고전 음악 (힌두스타니 음악)

원숭이도 흘러가고
염소도 흘러가고
돼지도 흘러가고
사람도 흘러가고
소도 흘러가고
낙타도 흘러가고
코끼리도 흘러가고
오토바이도 흘러가고
릭샤도 흘러가고
차도 흘러가고
시간도 흘러가고
이방인도 갈길 간다

날아갈 거 같은 날밥인데
막상 날아가지는 않고
신이 인간을 버릴 거 같은데
버리지 않고
인간도 신을 버리지 않는다

이 시간과
사람과
공간 모두
양념 되어있다

나는 조금 덜 똑똑한 원숭이
입력되는 것이 너무 많아서
매일 아침때 설사,
때문에 바나나를 집어먹었다

창조주의 유머 한마디

머리뚜껑이 없고
두뇌가 있을 자리에 화분이 있다
나무가 잘 자라고 있다
나무 왼쪽에 뱀이 한 마리 있다
뱀은 여자에게 과일을 권하고 있다
오른쪽에는 뉴턴이 나무 밑에 앉아있다
만유인력은 사과를 이용하여
뉴턴을 때린다
뉴턴은 명상에 잠긴다
하와는 뱀과 담화를 나누고 있다
나는 식탁 위에서 천체를 걷고 있다

향신료 & 조미료

퐁당과 첨벙

퐁당,
뇌 공간이 무너지는 소리,
뇌가 수영장에 빠진다

입체 퍼즐처럼
흩어졌다가 합쳐진다
새로운 모양으로

첨벙,
물리법칙 무너지는 소리,
수영장이 뇌에 빠진다

신경이 견딜 수 없을 만큼의 찬란한,
달달한 힘이 몰려와
정신을 잃은 상태,
깨어있는
느낌이랑 기분이 대담한다

    - 각설탕, Sugar Rush(슈가 러쉬)

토끼의 일기장을 훔치다

남들이 숙면을 취할 때도
열심히 달에 물을 주었다
달의 밝은 부분에 잔디가 자라고
달의 어두운 부분에 버섯이 자라고
그 웅장한 전구 안에
마늘과 양파가 이야기를 나누고 있다
이야기가 노릇하게 구워진다

백합의 노래
(Music of Lily)

아주 작은 화학자가
조각 도구들과 물감들을 가지고
음악이라는 기차를 타고
귀라는 터널을 통해서
측두엽[38]으로 들어선다
뇌에 수만 개의 꽃을 조각한다
흥겨운 두통이 온다
조각들을 색칠한다
조각들은 살아난다
요한 슈트라우스 2세의 봄의 소리 왈츠에 맞춰
꽃들이 물감 퍼지듯이 퍼진다

꽃들이 만개한다

---

38) 청각을 담당하는 뇌 부분

수학은 1을 '1'이라고 했지 '일'이라고 한 적은 없다

$1 + 1 \neq 2$

첫째 $1 = 1_1$; 둘째 $1 = 1_2$

$1_1 \neq 1.0$; $1_2 \neq 1.0$

$1_1 = 1.2234890123...$; $1_2 = 1.776510988...$

$1_1 \cong 1.2$; $1_2 \cong 1.8$ (반올림)

$1_1 = 1.2$; $1_2 = 1.8$

$\therefore 1 + 1 = 3$

- 향신료 더하기 향신료

색깔들
(Colors)

신은 각양각색을 허락하셨다
허락받은 가지각색은
신의 은총 속에서
눈부시게 피어나
춤춘다

에필로그

잘 먹고 갑니다

살아 있음으로 인해서
죽음을 알 수 없지만
태어나지 않았으면
어찌 이 생각까지 해봤으랴
어쨌든 태어나서 옷 한 벌 건졌고
유년 시절을 달나라에서
청년 시절을 태양에서
노년 시절을 지구에서
지내봤으니
우주의 자랑스러운 먼지로서
그 추억만으로도 참으로
감사하다

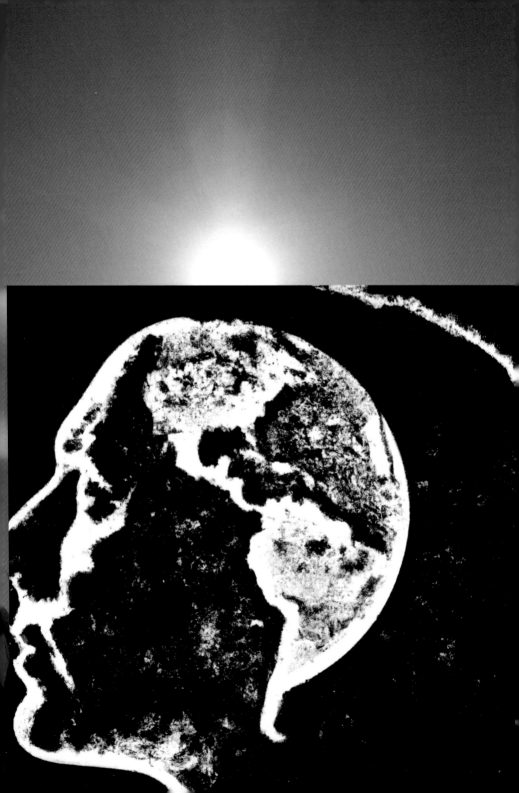

그림 및 사진 정보

Craiyon, 그 외 그림 DALL·E (필자 편집)
 - 높은 오후 34p/

& 사진 필자, 그 외 그림 DALL·E (필자 편집)

 - 카페 콘 판나 36p/ 사진 필자, 그림 DALL·E (필자 편집)
 * 에필로그: 앉아서 떠나는 용과의 여행 안자서 떠나는 용과의
여행 39p/ 필자
원본 구매가능 210 x 297mm 1만 5천 원

차
 * 나무 밑 43p/ 필자
원본 구매가능 127 x 179mm 9천 900원

술 45p/ 필자
 - 프롤로그: 두 번째 판 47p/ 사진 필자, 그림 DALL·E
 * 잠결에 만난 물리학 48p/ 김태근
원본 구매가능 240 x 345mm 58만 5천 원
 - 수없이 많았던 해바라기와 한 흑백 엉겅퀴 50p/ DALL·E (필
자 편집)
 * 어제와 오늘 52-53p/ Hao Lee
구매가능 사이즈별 가격 상이
 * 바닷바람 이야기 54p/ Hao Lee
구매가능 사이즈별 가격 상이

- 센 밤 - 샌 밤 56p/ DALL·E
- 데낄라 선셋 58p/ DALL·E (필자 편집)
- 어저께 60p/ DALL·E (필자 편집)
- On Tap 63p/ 사진 필자, 그림 DALL·E
  64p/ 글자 & 사진 필자, 그림 DALL·E (필자 편집)
* 느슨한 구름의 물음 66p/ 필자
원본 구매가능 210 x 297mm 1만 8천 원
- 이른 아침 68p/ 사진 필자와 필자 지인, 그림 DALL·E
- 캡슐 속의 칵테일 70p/ DALL·E (필자 편집)
- 에필로그 73p/ DALL·E

전채
- 바다를 날다 77p/ DALL·E (필자 편집)

빵과 함께
- 세계관 81p/ 120 THIN LINE FOOD ICONS & ChatGPT (필자 편집)
- 대양 블루스 83p/ DALL·E (필자 편집)
- 행복 방법론 86p/ 필자와 필자 지인

밥
- 나시고랭 89p/ DALL·E (필자 편집)

곁들임 요리
* 감자튀김 93p/ Hao Lee
구매가능 사이즈별 가격 상이

디저트 & 군것질

- 대롱대롱 자살 99p/ DALL·E (필자 편집)
- 민트의 비밀 100p/ DALL·E (필자 편집)
- 어린 날의 초콜릿 102p/ DALL·E (필자 편집)
- 밤하늘 별사탕 104p/ DALL·E (필자 편집)

과일
 * 창조론과 원숭이 110p/ 그림 DALL·E, 가운데 그림 필자 색칠
원본 구매가능 205 x 205mm 9천 원

향신료 & 조미료
- 퐁당과 첨벙 115p/ DALL·E (필자 편집)
- 토끼의 일기장을 훔치다 116p/ DALL·E (필자 편집)
- 백합의 노래 118p/ DALL·E (필자 편집)
- 수학은 1을 '1'이라고 했지 '일'이라고 한 적은 없다 120p/
DALL·E (필자 편집)
 * 색깔들 122p/ 필자
원본 구매가능 210 x 297mm 5천 원

*에필로그 125p/
 & 사진 필자와 필자 지인, 그 외 그림 DALL·E (필자
편집)
원본 구매가능 150 x 178mm 6천 원
- 잘 먹고 갑니다 127p/ 사진 필자, 그림 DALL·E

그림/사진 구매 문의: mork_sgss@naver.com